CHRONICA MINORA

I

Réimpression anastatique du N° 1 / Syr.1 = Scriptores Syri, series tertia. Tomus IV. Textus — *Chronica minora*. Pars prior. Edidit Ignatius GUIDI. 1903.

CORPUS
SCRIPTORUM CHRISTIANORUM ORIENTALIUM
EDITUM CONSILIO
UNIVERSITATIS CATHOLICAE AMERICAE
ET UNIVERSITATIS CATHOLICAE LOVANIENSIS

Vol. 1

SCRIPTORES SYRI
TOMUS 1

CHRONICA MINORA
I

EDIDIT

I. GUIDI

LOUVAIN
Secrétariat du CorpusSCO
49, ch. de Wavre
1960

Cod. vat. syr.
163, 1 r.
col. a.

*col. b.
---
[1] Legas ܩܡܚܘ. — [2] Hallier mavult emend. ' ܠܬܐܪ ܩܕ.

'1 v. col. a.

'col. b.

---

[1] Nonnulla verba hic excidisse verisimillimum est.

ܬܒܪܐ. ܘܬܚܡ ܥܒܪ ܗܘܐ ܒܠܗ ܘܒܢܝܐ ܕܡܕܝܢܬܐ.
ܘܡܫܠܡܐ ܢܦܩ ܗܘܐ ܠܗ ܠܐܦܕܢܐ ܣܬܘܝܐ ܕܐܬܒܢܝ
ܗܘܐ ܠܗ ܒܟܠ ܪܫ ܕܣܬܘܐ. ܘܐܦ ܗܢܘܢ ܢܚܐܪܐ
ܕܡܠܟܐ. ܒܗ ܠܗܘܢ ܥ̈ܒܕܐ ܠܡܥܡܪܗܘܢ ܒܡܫܡܫܬܐ
ܕܗ̇ܘܐ ܒܗ̇ ܡ̇ܠܟܐ ܒܣܘܦܐ ܪܒܐ ܕܡܬܩܪܝܐ ܒ[ܝܬ]-
ܡܫ̈ܪܝܐ. ܘܡܛܠ ܕܢܬܚܡܣ ܗܘܐ ܚܫܝܫܘܗ̇ ܕܡܕܝܢܬܐ
ܡܕܒܪܢܐ. ܦܩܕ ܗܘܐ ܐܒܓܪ ܡܠܟܐ. ܘܐܬܚܫܒܘ ܢܘܗ̈ܪܬܐ
ܕܬܚܘܬܐ ܡܢ ܟܘ̈ܢܐ ܕܡܕܝܢܬܐ: ܘܡܢ ܐܢܫ ܕܒܒܢܝܢ
ܒܫܘ̈ܩܐ ܘܒܐܦܘ̈ܪܣܐ ܘܐܬܐܠܨܬ ܡܕܝܢܬܐ ܒܝܬܗܘܢ
ܢܗܘܘܢ ܡܬ̈ܝܒܝܢ. ܒܕܒܪܐ ܕܫܢܬ ܡܕܝܢܬܐ ܒܐܬܪܘܬܐ
ܘܐܬܬܠܠܬ ܒ̈ܬܝܢܘܗ̇. ܒܪܢܫܐ ܕܝܢ ܒܪ ܫܢܝܢ ܘܡܫܡܫܢܐ
2 r. col. a. ܒܪ ܕܡܠܟܘܬܐ[1] ܦܩܘ̈ܕܐ ܕܐܒܘܗ̄ܝ ܗܢܘܢ *ܕܡܬܚܡܝܢ,
ܠܡܣܒܪܐ ܗܢܐ. ܘܠܦܘܩܕܢܐ ܕܐܒܓܪ ܡܠܟܐ. ܘܒܪܝܡ
ܘܒܠܝܕ[2] ܗܠܝܢ ܕܗܘܘ ܡܫܒܚܝܢ ܗܘܘ ܒܟܠܗ ܐܘܪܚܘܗܝ
ܕܐܒܘܗܝ, ܗܢܘܢ ܡܛܠܗ ܗܘܘ ܡܫܡܫܝܢ ܠܗ ܒܚܘܒܗܘܢ.
II (I). ܐܟܣܘ ܫܒܪܐ ܕܡܕܝܢܬܐ.܀ ܒܫܢܬ ܡܐܐ ܘܬܡܢܝܢ ܫܪܝܘ
III (II). ܡ̈ܠܟܐ ܕܢܡܠܟܘܢ ܒܐܘܪܗܝ.܀ ܒܫܢܬ ܡܐܬܝܢ ܘܫܬܝܢ
IV (III). ܘܫܒܥ. ܐܬܡܠܟ ܗܘܐ ܐܓܘܣܛܘܣ ܩܣܪ.܀ ܘܒܫܢܬ
V (IV). ܬܠܬܡܐܐ ܘܬܫܥ. ܐܬܝܠܕ ܡܪܢ.܀ ܘܒܫܢܬ
ܐܪܒܥܡܐܐ. ܒܢܐ ܐܒܓܪ ܡܠܟܐ ܢܦܫܐ ܠܐܣܘܪܐ
VI (V). ܕܩܒܘܪܬܗ[3].܀ ܒܫܢܬ ܐܪܒܥܡܐܐ ܘܐܪܒܥܝܢ ܘܬܫܥ. ܢܦܩ
VII. ܡܪܩܝܘܢ ܡܢ ܥܕܬܐ ܩܬܘܠܝܩܐ. ܠܘܩܝܘܣ ܕܝܢ ܩܣܪ
ܥܡ ܐܚܘܗܝ, ܥܒܕܘ ܐܢܘܢ ܠܦܪ̈ܬܘܝܐ ܠܡܫܥܒܕܘܬܐ ܒܫܢܬ
VIII (VI). ܫܒܥ ܕܡܠܟܘܬܗ.܀ ܒܫܢܬ ܐܪܒܥܡܐܐ ܘܫܬܝܢ ܘܚܡܫ
ܒܐܝܪ ܬܡܘܙ ܒܚܕܥܣܪ ܒܗ. ܐܬܝܠܕ ܒܪܕܝܨܢ.܀
IX. ܘܒܫܢܬ ܚܡܫܡܐܐ ܘܫܒܥܣܪܐ. ܒܢܐ ܐܒܓܪ ܡܠܟܐ ܒܒܝܪܬܐ
X. ܒܪܟܐ ܕܝܠܗ.܀ ܒܫܢܬ ܚܡܫܡܐܐ ܘܚܡܫܝܢ ܘܚܕܐ.
XI. * col. b. ܐܬܝܠܕ ܡܐܢܝ.܀ ܒܫܢܬ ܫܬܡܐܐ *ܘܐܪܒܥܣܪܐ.

[1] Recentior manus vocales adscripsit ܡܠܟܘܬ. — [2] Pro ܒܘܠܝܕ (Hall.). — [3] Duval, *Hist. Éd.*, 51, dubitationem movet (sed coniuncte elatam) de emend. ܩܒܪܬܗ.

ܐܬܬܪܥܘ ܫܘܪ̈ܝܗ̇ ܕܐܘܪܗܝ، ܕܬܪ̈ܬܝܢ ܙܒ̈ܢܝܢ. ܒܝܘ̈ܡܝ
ܕܝܘܩܠܛܝܢܘܣ ܡܠܟܐ.:. ܒܫܢܬ ܫܬܡܐܐ ܘܥܣܪ̈ܝܢ XII.
ܘܐܪܒܥ. ܣܡ ܩܘܢܐ ܐܦܝܣܩܘܦܐ ܫ̈ܬܐܣܝܗ̇ ܕܥܕܬܐ
ܕܐܘܪܗܝ، ܘܒܢܐ ܘܫܠܡܗ̇ ܠܒܬܪܗ. ܣܥܕ ܐܦܝܣܩܘܦܐ
ܕܗܘܐ ܡܢ ܒܬܪܗ.:. ܒܫܢܬ ܫܬܡܐܐ ܘܬܠܬܝܢ ܘܚܡܫ. XIII.
ܐܬܒܢܝܬ ܩܘܡܝܛܪܝܢ ܕܐܘܪܗܝ، ܒܝܘ̈ܡܝ ܐܝܬܠܗܐ
ܐܦܝܣܩܘܦܐ. ܩܕܡ ܫܢܬܐ ܕܗܘܬ ܒܗ̇ ܣܘܢܗܕܘܣ
ܪܒܬܐ ܒܢܝܩܝܐ.:. ܫܢܬ ܫܬܡܐܐ ܘܬܠܬܝܢ ܘܫܬ. ܩܡ XIV.
ܐܝܬܠܗܐ ܐܦܝܣܩܘܦܐ ܒܐܘܪܗܝ، ܘܗ̇ܘ ܒܢܐ ܩܘܡܝܛܪܝܢ
ܘܪ̈ܒܝܗ̇ ܠܡܕܢܚܐ ܕܥܕܬܐ. ܘܒܬܪܗ̇ ܕܫܢܬܐ. ܐܬܟܢܫܬ XV.
ܣܘܢܗܕܘܣ ܒܢܝܩܝܐ. ܕܬܠܬܡܐܐ ܘܬܡܢܬܥܣܪ̈
ܐܦܝܣܩ̈ܘܦܝܢ.:. ܫܢܬ ܫܬܡܐܐ ܘܬܠܬܝܢ ܘܬܫܥ. ܗ̇ܘܐ XVI.
ܒܢܝܢܐ ܘܬܘܣܦܬܐ ܕܥܕܬܐ ܕܐܘܪܗܝ.:. ܒܫܢܬ XVII.
ܫܬܡܐܐ ܘܐܪ̈ܒܥܝܢ ܘܬܫܥ. ܡܝܬ ܡܪܝ، ܝܥܩܘܒ
ܐܦܝܣܩܘܦܐ ܕܢܨܝܒܝܢ.:. ܫܢܬ ܫܬܡܐܐ ܘܚܡ̈ܫܝܢ XVIII.
ܘܐܪܒܥ. ܗ̇ܘܐ *ܐܒܪܗܡ ܐܦܝܣܩܘܦܐ ܒܐܘܪܗܝ، ܘܗ̇ܘ * 2 v. col. a.
ܒܢܐ ܒܝܬ ܡܘܕ̈ܝܢܐ.:. ܫܢܬ ܫܬܡܐܐ ܘܫܬܝܢ. ܒܢܐ XIX.
ܩܘܣܛܢܛܝܢܘܣ ܒܪ ܩܘܣܛܢܛܝܢܘܣ ܠܐܡܝܕ ܡܕܝܢܬܐ.:.
ܘܒܫܢܬ ܫܬܡܐܐ ܘܫܬܝܢ ܘܚܕܐ. ܒܢܐ ܬܘܒ ܗ̇ܘ XX.
ܩܘܣܛܢܛܝܢܘܣ ܠܬܠܐ ܡܕܝܢܬܐ. ܗ̇ܝ ܕܡܢ ܩܕܝܡ.
ܐܢܛܝܦܘܠܝܣ[1] ܡܬܩܪܝܐ ܗܘܬ.:.:. ܫܢܬ ܫܬܡܐܐ ܘܫܬܝܢ XXI.
ܘܫܒܥ. ܗ̇ܘܐ ܐܒܪܗܡ ܩܕܝܫܐ ܩܝܕܘܢܝܐ.:.:. ܒܫܢܬ XXII.
ܫܬܡܐܐ ܘܫܒ̈ܥܝܢ ܘܬܪ̈ܬܝܢ. ܢܦܩ ܡܢ ܥܠܡܐ ܡܪܝ،
ܐܒܪܗܡ ܐܦܝܣܩܘܦܐ ܕܐܘܪܗܝ، ܘܒܗ̇ ܒܫܢܬܐ. ܢܦܩ XXIII (XXIV).
ܡܢ ܥܠܡܐ ܘܐܦ ܐܦܝܣܩܘܦܐ ܕܢܨܝܒܝܢ.:. ܘܒܗ̇ XXIV (XXV).
ܒܫܢܬܐ ܐܬܐ ܒܪܣܐ ܐܦܝܣܩܘܦܐ ܡܢ ܚܪܢ ܠܐܘܪܗܝ،
ܒܦܘܩܕܢܐ ܕܡܠܟܐ.:. ܒܫܢܬ ܫܬܡܐܐ ܘܫܬܝܢ[2]. XXV (XXII).
ܐܬܗܦܟܬ ܢܝܩܘܡܕܝܐ.:. ܘܒܫܢܬ ܫܬܡܐܐ ܘܫܬܝܢ XXVI.
ܘܐܪܒܥ ܒܐܝܪ ܚܙܝܪܢ. ܢܚܬ ܝܘܠܝܢܘܣ ܘܐܬܩܪܒ ܥܡ

[1] Emend. Hall. ܐܢܛܝܦܘܠܝܣ ܗܘܐ ܫܡܗ̇. — [2] Fortasse ܘܬܫܥ addendum est, aut verba de Nicomedia interpolata esse dubitari potest, cf. Hallier.

XXVII. ܒܣܡܐ ܕܡܒܢܐ ܟܐܐܠܬܐ ܬܝܠ ܒܬܣ ܐܒܕܐ ܟܐܒܕ ܐܘܡܪ ܒ

*col. b. ܒܘܢܕܐ ܟܐܒܕ ܢܝܒܕ ܐܠܟܠܓܕ ܐܠܟܘܠܐ ܠܟܝ ܒ܆ ܗܠܘܐ *

XXVIII. ܐܘܟ܆ ܒܣܕ ܢܝ. ܟܐܟܠܬ ܒܬܣܒ ܒܬܣܐ ܟܐܐܠܬܐ

XXIX. ܟܐܐܠܬܐ ܒܬܝ ܒܩ܆ ܒܢܕ ܒܠܘܝ ܟܐܠܟܪ ܡܣܐ ܒܕ܆ ܟܐܠܐ

XXX. ܒܬܝ ܟܐܐܠܬܐ ܘܬܟܪܝܟ ܐܟܬܐܘܪ܆ ܘܐܟܪܐ ܒ.܆ ܟܐܣܪ

XXXI. ܒܬܝܕܐ. ܐܘܟܪܐ ܟܐܒܠ ܟܠܒܠ ܐܝܒܠܕ ܠܘܒ ܟܡܐܘܬܘܬ. ܒܬܝܕ ܟܐܦܐ

XXXII. ܒܬܝ ܟܐܐܠܬܐ ܘܬܟܪܝܟ ܘܬܟܣ ܘܐܒܕ ܒܬܝ ܟܪܐܘ܆ 10

XXXIII. ܡܘܣܒ ܒܣܟܡ ܟܣܡܬܝ ܟܪܐܘ ܒܘܒ ܒܠ ܡܘܪ ܒܩܕܡ ܘܡܠܘܬ

XXXIV. ܒܬܝ ܒܬܟܕ ܟܐܘܕ ܒܐܠ ܒܕ ܟܐܡ ܟܐܕܒܬ ܡܘܬ ܒܟܪܝܕܐ ܟܐܠܐ

XXXV. ܒܝܒܕܬ. ܒܬܝ ܟܐܐܠܬܐ ܘܬܟܪܝܟ ܘܬܟܪܬܘ ܒܣܟܐ

*3 r. col. a.
XXXVI. ܒܬܝ ܟܐܐܠܬܐ ܘܬܟܪܝܟ ܐܟܠܠܐ. ܐܟܬܐܪܬ *ܣܘܒܒܘܒܘ

XXXVII. ܒܬܝ ܟܐܐܠܬܐ ܘܬܟܪܝܟ ܘܬܟܣܐ. ܒܩ܆ ܟ ܟܠ ܒ ܟܐܠܐ

XXXVIII. ܒܬܝ ܒܣܡܒܐ ܟܐܒܣܕ ܟܐܘܬܝ ܟܒ ܒܒܕ ܡܘܣ ܘܬܝ ܒܬܪ܆

XXXIX. ܟܐܘܟܘܣܐ. ܒܬܝ ܟܐܟܬܣܒ ܒܬܝ ܒܒܣܟܘܪܟ

---

[1] Verba ܘܬ̇ܢ ܘܐܝ interpolata esse suspicatur Hall.

ܘܐܕܪܝܢ ܕܗܘܘ ܐܝܟܢ ܠܥܠܡ .ܚܕܐ ܓܢܐ ܕܐܝܬܝܗ ܕܠܡܐ ܗܕܐ ܕܐܝܬܝܗ ܠܬܠܬ XL.

ܐܝܬ ܬܫܒܝܬܐ ܐܠܗܐ ܕܥܡܐ .ܐܝܗܘܬ̈ :. XLI.

ܐܠܗܘܬܐ ܕܬܫܒܝܬܐ ܐܝܬ, ܘܗܝܐܝ :. ܘܐܝܗܐ ܘܐܠܗܐ. XLII.

5 ܐܝܬ* :. ܘܗܝܐܝ, ܐܠܗܘܬܐ ܕܗܝ, ܡܠܘܢ ܗܘܐ ܕܗܘ *col. b. XLIII

ܕܐܠܗܘܬܐ ܘܚܫܡܝ ܕܟܝܢܐ ܗܕܝܢ ܕܠܡܐ ܗܕܐ ܓܢܐ ܕܐܝܬܝܗ XLIV.

ܗܘܐ ܕܗܘ, ܘܡܢܐ ܐܠܗܘܬܐ ܐܝܬܝܗ ܒܗ, ܗܟܘ. XLV.

ܚܒܫܝܬܗ ܘܡܢܗܠܝܦܘܗܝ :. ܐܝܬ ܬܫܒܝܬܐ XLVI,

ܘܗܝܚܒܣܘܟܢ ܠܗܘܒܕܗ ܕܗܣܗܘܣܝ ܕܗܕܟܐ. ܐܝܬ ܬܫܒܝܬܐ XLVII.

ܕܗܘܬܝ ܠܬܠܬ ܐܝܬ ܬܫܒܝܬܐ ܘܗܘܘܡ :. ܐܝܬ ܬܫܒܝܬܐ ܗܘܘܘܡ XLVIII,

ܠܬܒܕܐܝ ܚܒ ܗܕ, ܕܠܡܐܬ :. ܘܗܘܗ ܗܒܚ ܐܝܬ ܒܣܡܪܐܝ XLIX.

20 ܘܗܝܐܝ, .ܘܐܢܐ ܗܝ ܚܒܫܝܬܗ ܐܝܬ ܬܫܒܝܬܐ ܐܝܬ. L.

ܐܝܬ :. ܗܝܒܕܪ ܕܝܣܒܠܗܝܪ̈ ܐܠܗܘܬܐ ܗܡܠܝܒܘܗܝ LI.

ܐܠܗܘܬܐ. ܘܗܟܝ *ܚܒ ܗܕ, ܗܠܦܠܗܝ ܘܗܚܝܟܘܗܝ, *3.v. col. a.

25 ܘܚܫܡܝܬܗ ܐܝܬ ܬܫܒܝܬܐ ܕܟܠܠܬ :.ܘܗܘܡܣܘܗ LII.

ܗܡܘ ܗܪܝܟ̈ܬ̈ܐ ܐܠܠܠܬ ܐܝܬ ܬܫܒܝܬܐ ܗܝܐ :. ܘܐܩܠ LIII.

ܘܐܣܦܘܗܘ ܗܪܐܟ ܗܕܟ ܗܝ ܗܕܪܝ, ܘܗܠܦܝܟ ܗܘܚ,ܗܪ̈ܐ ܘܗܪܝ LIV.

30 ܐܝܬ ܬܫܒܝܬܐ :.ܐܠܒܕܐ ܒܕܗܒ ܘܗܢܒܕ ܘܐܠܒܕܝ, ܐܣܘܪ LV.

---

[1] Pro ܟܗܘܪܝ reponendum esse ܟܗܘܪܝ censet Hall.

ܡܠܠܝܢ ܘܒܕ. ܡܢܘܢ ܕܐܝܟ ܐܘܢ ܗܘܝܢ ܡܝܢ ܕܝܠܗ ܕܒܪ

LVI. ܒܝܬ ܬܕܡܪܬܐ ܐܝܟ ܐܟܬ ܐܠܟܬܪ. ܐܝܟ ܒܪ
ܐܒܗܘܕ. ܐܠܟܣܢܕܪܐ ܕܡܢܓܪ ܠܦܢܓܪ.

LVII. ܗܘܐ .ܗܘ ܬܕܡܪܬܐ ܐܝܟ ܐܘܢܓܪܐ ܡܢܐ. ܗܘ

LVIII. ܚܒܪ ܡܢ ܐܒܪ. ܐܝܟ ܒܝܬ ܬܕܡܪܬܐ ܐܘܢܓܪܐ ܐܒܪ. ܐܝܬܪܬܐ ܣܘܡܘܢ ܕܪܒܬܐ ܐܠܟܣܢܕܪ. 5

LIX. ܒܝܬ ܬܕܡܪܬܐ ܐܘܢܓܪܐ ܒܡܢ ܕܡܝܢ ܒܒܓ ܕܢܒܠܐ ܐܠܟܣܢܕܪܐ ܐܕܝܪܐ, ܡܢ ܚܠܐ ܕܒܠܐ ܐܟܪ. ܘܗܡ ܘܣܠܢ ܕܪܘ. ܐܟܕ ܒܟ ܗܘܐ ܗܡܘܣܒ, ܕܪܘ ܟܒܕܬܐ

LX. col. b. ܐܝܟ :. ܒܠܝܬܐ ܕܐܝܟܬ ܕܒܬ ܕܒܘܕܓܪܐ ܗܘ, ܟܐܕܪܢ 10 ܐܒܓܪ ܐܘܢܓܪܐ, ܐܝܟ ܐܒܪܬܐ ܕܒܘܕ ܐܒܪܐ ܒܣܪܟ. ܕܐܝܟ ܪܢ ܐܒܪܬܐ ܪܢ ܐܘܢܓܪ ܢܦܣܡ. ܕܪ ܐܝܬ ܒܝ ܐܘܢܓܪܐ ܚܘܣܬ ܠܒܬܒ. ܐܟܕ ܬܕܡܪܬܐ ܢܦܣܕܝܟܪ.

LXI. ܢܦܣܬ ܘܬܪܣ ܐܘܢܓܪܐ ܐܝܟ :.ܐܒܝܟܪ ܕܒܠܬܐ, ܡܠܠܝ ܚܕ ܗܘܐ ܗܟܡܘܢ ܐܠܟܪ ܪܢܝܒܕ, 15 ܕܐܒܪܟܪ ܪܒܕܬܐ ܒܠܥ ܐܠܟ ܐܝܟ ܕܒܐܒܬ :. ܣܘܦܠܝܒܝܘܢ.

LXIII. ܒܝܬ ܬܕܡܪܬܐ ܘܬܪܣ ܒܡܢ ܗܘܐ ܕܒܣܘܢ.

LXIV. ܐܠܟܣܢܕܪ ܐܟܠܒܪܝܕܪ ܒܪܒܕ ܬܕܘ. ܪܒܢ ܕܬܐ ܬܕܝܟܪ. ܣܘܡܘܢ ܐܟܬܪܝܘܢ. ܗܘܐ ܐܝܟ ܪܡܢ ܠܕܪܟ ܐܠܟܒܠܐ ܐܘܢܓܪܐ ܘܣܒܩܣܘܢ ܕܡܣܒܐ ܠܒܠܒܕ 20 ܕܒܠܕ ܘܠܐܒܠܐ ܐܕܒܪ ܣܘܐܟܒܠܟܪܐ ܐܟܒܠܒܪܐ ܕܒܠܒܪ. ܕܐܒܪܟܪ, ܘܠܒܠܒܠܐ ܣܘܡܘܐܟܠܐ ܕܐܒܪܝܟܪ ܠܐܒܪ ܕܘ. ܢܒܝܕ.

LXIV. ܐܝܟ :. ܪܘܒܝܟܪܐ ܣܘܒܠܝܘܟܪ ܐܠܠܐ ܕܒܝܬ. ܘܠܒܦܒܘܢ ܒܝܬ ܬܕܡܪܬܐ ܘܬܪܣ ܒܡܢ ܕܒܓ ܪܒܕ ܡܢ ܐܠܟܣܢܕܪ ܡܢ ܐܒܪܐ, ܒܣܒܩ ܒܪ ܒܟܒܢܢ ܚܒܐ ܐܟܢܙ, ܘܒܣܒ 25 ܒܪ ܘܚܘܣܬܦ ܕܒܕܐ ܐܒܪ ܚܠ ܒܐ ܘܣܠܢ ܗܡܘܣܒ, ܡܣܘ,

4 r. col. a. ܕܐܒܪܢ ܢܦܣܡ. ܘܚܒܕ ܚܒܕܐ ܣܘܒܟܒܪ ܐܪܒܪܐ :... ܒܝܬ
LXV. ܐܘܢܓܪܐ ܐܟܣ ܠܟܠ ܡܢ ܕܒܠܐ ܐܟܠ ܐܟܠܟܪܐ

LXVI. ܕܪܣܘܡ. :. ܒܝܬ ܬܕܡܪܬܐ ܘܬܪܣ ܕܒܠܐ ܘܬܪܬܝܢ.

LXVII. ܐܝܬܪܬ ܣܘܡܘܢ ܕܒܠܒܬܐ ܕܒܪܘܬܐ .:. ܐܝܟ 30 ܬܕܡܪܬܐ ܘܬܪܣ ܕܒܠܬܐ ܘܒܠܕ ܕܢܪ, ܐܟܚܢ ܢܦܣܚ ܗܡܘܣ ܘܢܪܐ

ܐܕܠܐ ܘܦܠܐܐ ܐܟܐܙܟܐܕ ܕܚܝ . ܘܡܢ ܕܪܘܪܚ ܐܝܪ LXVIII.
ܚܝ ܟܚ ⠿ . ܟܐܚܪܝܘܐܟ ܚܝܣ ܐܪܝܠ ܕܚܚܕ . ܘܘܦܡܘܡܘܐܟܘ LXIX.
ܐܟܐܙܟܐܕ ܚܝ . ܝܣܟ ܐܬܟܚܪܚ ܚܚ ܐܟܐ ܐܟܐ LXX.
ܘܚܚܟܘܕܚ ܚܝ ܠܗ * ܚܬܚܕ ܐܟܐܠܒܝܐܟܘܐܠܘܡܚ . ܡܡܚ ܕܚ ܟܚ ܐܟ *col. b.
. ܡܚܪܪܐܚ ܚܐܪܬܚܟܐ ܐܝܟܐܕܚܝ ܐܟܐܙܟܐ ⠿ . ܟܐܘܡܘܡܘܐܟ LXXI.

ܕܚܪܚ ܚܚܕܘ ܘܐܬܪܪ ܘܝܚܬܝܟ ܐܟܐܙܟܚ ܚܝ ⠿ . ܘܡܡܚ LXXII.
ܟܐܘܣܚܐܟ ܚܪܘܘܪܚܬ ܟܐܚܐܟܒܘܕܚ ܚܝ ⠿ . ܣܘܡ LXXIII.
ܚܪܝܚ ܐܟܐܟܒܘܕܚ ܚܝ . ܚܐܪܝܐܟ ܚܚ ܟܐܚܣܘܕܘ LXXIV.

ܐܪܝܚܚ ܚܝܐܝܟܟ ܚܚ ܟܐܚܒܚ ܚܝܝܬ ܘܝܪܘܟ . ܐܟ ܝ LXXV.
ܚܝ ⠿ . ܟܐܘܚܪܚܕ ܚܠܒܕ ܟܐܠܒܟ ܚܚܕܚܣܚ ,ܚܐܪܝܐܠ LXXVI.
30 *ܘܝܪܚܟܐ ܐܟܐܬܪܒܠ ܟܐܚܒܚ ܟܐܘܚܚ ܚܚܚܚ ܕܚܝܝܪܟܐ ܟܐܘܠ *4 v. col. a.

---

[1] Sic Ms.; legas ܕܚܒ̄ܠܚ. — [2] In marg., prima manu, ut videtur, adiect.

LXXVII. ܚܘܢ ܐܝܟ̇، ܐܝܟ̇ܦܘܣ̈ܐ ܕܒܗ ܕܒܬܐ ܠܟܐܦܘܒܪܘܣܐ
LXXVIII. ܗܒܬ ܢܣܪܒܟܐܟ ٪·. ܣܡܘܣ، ܣܘܦܠܣ ܩܗܐ
LXXIX. ܒܕܪ̈ܐ ٪· ܗܒܬ ܢܣܪܟܐܟ ܗܣܬܠܡܕܬܐ ܣܡܒܕܪ̈ܐ 5
LXXX. ܗܒܬ ٪· ܒܟܕ ܕܒܡ̇ܬܗ ܗܬܣ̈ܒܚ ܟܠܠ ܡܠܚ
LXXXI. ܡ̇، ܒܕܟܕܚ ܣܡ̇ܬܗ. ܕܒܒܝܒܒܪ ܐ̈ܟܠܒܕ ܠܟܠܕ
LXXXII. ܚ̇ܪ̇ܒ ܣܝܟ̇ܬܐ. ܣܡ̇ܗ ܣܕܒܡ̇ܬܗ ܗܒܬ ܢܣܪܒܟܐܟ 15
LXXXIII. ܗܒܘ ܣܘܦܠܣ، ܩܠܐܟ ٪·. ܗܬܚܘܣ ܕ̇ܚܒܬܗ ܗܒܘܒ

col. b. ܟܠܣܡ̇ܠܠ ܢܒ̇ܪܣܒ ܕܡܩ* ܐܝܟܦܘܣܐܟܒ ܗܒ̇ܣܪ̈ܟܕܠ
LXXXIV. ܡܩܒ ܕܒ ܠܒܚܕܣ̇ܒ ܐܟܣܒܩܘܣ̈ܐ ܘ̇ܒܚܕܣܒ ܗܣܡܪ̈ܒܠܝܠܝܒܩܚܒ،
LXXXV. ܘ̇ܒܦ̈ܒܣܐܟܒ ܣܒܠܒ ܡ̇ܬܒܐܟܒ. ܒܚܕ̇ܬܚܘܣ. ܢܒ̈ܦܐܟ̇ܬܚܘܣ

LXXXVI. ܢܒܪܪ̈ ܚܠܗܣܘ، ܕ̈ܒܠ̇ܒܒ، ܚ̇ܒ̇ܠ ٪· ܗܒܬ ܢܣܪܟܐܟ
LXXXVII. ܢܒ̇ܦܗܘܣܒ ܣܡ̇ܒ̇ܠܕܗܒ ܕܦܝܪ̈ܬ̈ܚ ܗܬܚܘܣܒ. ܢܒ̇ܦܗܘܣ 30

[1] Sic Ms.

ܕܐܬܬܘܬܗ̇ ܫܢܝܬ ܬܡܢܡܐܐ ܘܬܠܬܝܢ ܥܪܩ ܡܢ ܐܢܛܝܘܟܝܐ
ܠܡܐܘܪܐ ܘܠܐܟܣܢܝܐ ܡܢ ܡܕܒܪܢ ܘܠܟܠ ܗܢܘܢ ܕܠܐ
ܡܩܒܠ ܠܐܓܪ̈ܬܗܘܢ ܣܘܢܗܕܘ. ܘܒܫܢܬ LXXXVIII.
ܬܡܢܡܐܐ ܘܬܠܬܝܢ ܘܚܕܐ. ܐܬܐ ܦܛܪܝܩ ܠܐܘܪܗܝ
*ܕܢܦܩܘܢܗܝ ܠܦܘܠܐ. ܒܐܝܪܚ ܬܫܪܝ ܐܚܪܝ ܒܐܪ̈ܒܥܐ *5 r. col. a.
ܒܗ. ܘܚܟܐ ܗܘܐ ܠܗ ܕܢܓܒܐ ܚܕܐ ܡܢ ܬܪ̈ܬܝܢ. ܕܐܘ
ܢܩܒܠ ܣܘܢܗܕܘܣ ܘܢܗܘܐ ܥܠ ܟܘܪܣܝܗ. ܐܘ ܕܐܢ ܠܐ
ܡܬܛܦܝܣ ܢܦܩ ܡܢ ܟܘܪܣܝܗ. ܗܘ ܕܝܢ ܠܚܕܐ ܡܢ ܗܠܝܢ
ܠܐ ܐܬܛܦܝܣ ܕܢܓܒܐ. ܐܠܐ ܥܪܩ ܘܥܠ ܐܬܛܫܝ ܒܝܬ
ܡܥܡܘܕܝܬܐ. ܟܕ ܕܝܢ ܚܙܐ ܦܛܪܝܩ ܕܠܐ ܡܬܛܦܝܣ
ܕܢܓܒܐ ܚܕܐ ܡܢ ܗܠܝܢ: ܘܦܩܘܕܢܐ ܕܡܠܟܐ ܕܚܝܠ.
ܐܬܠܝ ܕܢܦܩܘܗܝ ܡܢ ܒܝܬ ܡܥܡܘܕܝܬܐ. ܘܐܘܒܠܘܗܝ
ܠܣܠܘܩܝܐ. ܘܟܕ ܫܡܥ ܡܠܟܐ ܕܡܢ ܒܝܬ ܡܥܡܘܕܝܬܐ
ܐܦܩܗ. ܦܩܕ ܕܢܬܦܢܐ ܠܟܘܪܣܝܗ. ܥܠ ܡܛܪܐ ܕܡܬܬܘܐ
ܘܡܩܒܠ ܣܘܢܗܕܘܣ. ܘܥܠ ܦܘܠܐ ܠܟܘܪܣܝܗ ܠܐܪ̈ܒܥܝܢ
ܘܐܪ̈ܒܥܐ ܝܘܡܝܢ. ܘܗܘܐ ܕܒܢܐ ܡܦܝܣܐ ܒܐܘܪܗܝ. ܟܕ
ܠܐ ܡܩܒܠ ܣܘܢܗܕܘܣ. ܘܟܕ ܝܕܥ ܡܠܟܐ ܕܠܐ
ܡܬܛܦܝܣ. ܫܕܪܗ ܠܐܘܟܐܛܐ. ܘܢܦܩ ܦܘܠܐ ܡܢ
ܐܘܪܗܝ. ܒܥܣܪ̈ܝܢ ܘܫܒܥܐ ܒܬܡܘܙ. ܕܫܢܬ ܬܡܢܡܐܐ
ܘܬܠܬܝܢ ܘܬܠܬ. ܘܗܘܐ ܚܠܦܘܗܝ ܐܣܩܠܦܝܣ. ܘܥܠ
ܠܐܘܪܗܝ *ܒܥܣܪ̈ܝܢ ܘܬܠܬܐ ܒܬܫܪܝ ܩܕܡ· ܕܫܢܬ *col. b.
ܬܡܢܡܐܐ ܘܬܠܬܝܢ ܘܐܪܒܥ. ܒܬܪ ܬܠܬܐ ܝܪ̈ܚܝܢ ܕܢܦܩ
ܦܘܠܐ ܐܦܝܣܩܘܦܐ ܡܢ ܐܘܪܗܝ. ܘܒܐܝܪܚ ܟܢܘܢ ܩܕܡ LXXXIX.
ܒܥܣܪ̈ܝܢ ܘܐܪ̈ܒܥܐ ܒܗ. ܒܬܪ ܡܠܟܘܬܗ ܕܐܣܩܠܦ
ܐܦܝܣܩܘܦܐ ܠܐܘܪܗܝ. ܛܪܕ ܐܢܘܢ ܠܕܝܪ̈ܝܐ ܕܡܕܢܚܐ.
ܠܗܘܢ̇ ܘܠܟܠܗܘܢ ܕܝܪ̈ܝܐ ܚܒܪ̈ܝܗܘܢ ܕܐܟܘܬܗܘܢ ܥܠ
ܕܠܐ ܡܩܒܠܝܢ ܠܣܘܢܗܕܘܣ ܗ̇ܘ[1] ܕܟܠܩܝܕܘܢܐ. ܘܒܫܢܬ XC (XCI).
ܬܡܢܡܐܐ ܘܬܠܬܝܢ ܘܫܬ. ܒܠܠܝܐ ܬܪ̈ܝܢܐ ܡܫܝܢܐܐ
ܠܐܘܪܗܝ ܘܟܢܫܬܐ ܕܐܬܪ̈ܒܝ ܘܬܪܥܘ ܫܘܪ̈ܝܗ̇ ܘܒܬܝܪܘ

[1] Verbum erasum hic est (fortasse Synodi Calched. epitheton) cuius tantum postrema littera ܐ vix, aut ne vix quidem dignosci potest, et in litura ܗ̇ܘ rescriptum.

ܚܢܘܟܪܐ ܟܒܒܕ ܝܫܩ ܝܗܕ ܟܐܘ ܐܪܕ ܐܝܘܐܬ ܩܒܟ.

ܘܐܠܬܗ ܗܡ ܝܐܠܪܐܝܐܠܘܝܟܐ ܘܦܠܒܪܐܬ ܐܬܒܠܪܝܗ.

ܐܕܗ ܫܪܟ ܝܗ ܐܠܐܠܬ ܐܬܪܒܟܪܐ. ܗܐܝܘܚ ܠܡܒܚܘ XCVIII (XCIX).

ܟܪܝܝܪ ܐܬܝ ܐܘܝܪ ܗܡ ܗܡܐܚܬܚܒܐܚ, ܐܘ ܩܡ ܘܝܪܝܟ

5 ܪ ܐܒܝ ܝܫܐܠܘ. ܐܟܐܒܪܐ ܒܗܐܡ ܩܒ ܐ¹ܩܒܪܕܪ ܩܒܪܕ ܡ

ܐܘܐ. ܕܒ ܫܐ ܐܚܫܐ ܝܗܡܝܝ. ܝܗܘܝܐ ܠܐ ܐܬܝܝܟܪ ܕܒ ܝܐܟܝܬ

ܟܝܪܝܟ ܝܪܦ ܐܩܒܐ ܐܟ ܗܗܐ ܘܪ ܟܒ ܫܒ ܝܗ. XCIX (XCVII).

ܐܟܬܠܒܟܐ ܝܗܪܬ ܐܬܒܪܝܚ ܐܝܟܪ ܟܝܪ ܫܘܠ ܐܒܕܐ ܝܐܟܬܠܐ

ܩܗܡܬ ܝܗ ܐܬܒ ܝܗ ܫܐܪ. ܝܝܬܟܒ ܟܒ ܐ ܠܟ ܐܘܩ

10 ܐ ܟܝܪ. ܐܒܝܦܐܟܠܒܪܐ ܝܗ ܫܐ ܟܝܐܐܘܚܟ

ܐ ܐܒܟܠܒܝܐܟ ܩܡܗ ܐܘ ܐܗܗܒ. ܐܬܪܒܟܪܐ ܫܒ C (CIII).

ܗܕ * ܐܫܒܐ ܝܕܡ ܩܒܕ ܫܒ ܝܟܝܪ ܟܝܗܪܐܐ ܝܟܬܒ ܡܗ ʻ6 r. col. a.

ܐܟܫ ܘܐܩܪܝ ܐܘ ܝܪܝܟ ܚܕ ܝܗ ܩܡ ܠ.

ܗܕ, ܐܗܘܚ ܬ ܠ ܚ. ܐܐܠܘܚ, ܗܕ ܚܕ ܒ ܐܟ ܝܐ ܐܫܗ

15 ܕܗܕ, ܐܗܡ ܕܗ ܪ ܝܒ. ܐܟ, ܐܗ ܒܩܠܒ ܐܘ ܩܡܗ. ܝܗܡ ܠ ܐܘܒ ܠ

ܝܗ ܐ ܠ. ܝܟ ܟܝܪ ܟܐ ܟܐ ܐܟ ܒ ܚܗ ܝܐܬ ܩܡ ܐܟܡ ܠ ܝ

ܝܟܝܬ ܐܬܒܪܝܚ ܫܒ. ܐܟܐ ܬ ܐܝܐ ܬ ܝܟܝܪ ܐܬܒܪܝܚ CI (XCVIII).

ܗܕ, ܐܩܡ, ܫܡܩ ܝܟܝܪ ܕܗ ܩܒܪ ܗܝܪܐܚ ܐ ܠ ܬ

ܝܩܠ ܚܝ ܟܐ. ܝܗܕ, ܐܒܕ ܚܒ ܝܟܝܪ ܐܟ ܐ ܚ ܝܗ ܡ ܐ ܕ ܗ

20 ܐ ܚܬܒ. ܐܝܗ ܠ ܐܘ ܐ ܫܝܬ ܠ ܚ ܝܗ ܐ ܕ ܗ. ܝܗ ܐ ܚܬܒ

ܝܦܩ ܝܩܠ ܚܝ,,. ܝܗܒܝܠ ܟܒ ܩܡ ܠ ܝܐ ܝܩ ܫܒ ܐܬܒܪܝܚ CII (c).

ܗܕ, ܕܗ ܚ ܝܐ ܐ ܐ ܘܗ ܬ ܚܝܪܝ ܝܗ ܐܕ ܗ ܝܗ. ܐܟܐ ܬ

ܝܩ ܚ ܝܟܝܪ ܐ ܝ ܫ ܝܩ ܐ, ܐ ܝ ܩ ܗ ܪ ܠ ܫ ܐ ܬ ܠܕ. ܝܗ ܡ ܐ ܕ ܟ ܐ

ܝ ܩ ܝܪ ܝܟ ܗ ܠ ܚܒ ܝ ܠ ܝ ܐ ܪ ܩ ܡ ܕ ܝ ܟܪ ܐ ܬ ܒ ܪ ܝ ܚ ܐ ܟ ܝ ܕ ܒ CIII (CI).

25 ܐ ܬ ܠ ܚ ܒ ܠ ܐ ܬ ܡ ܝ ܐ ܚ ܬ ܚ ܒ ܝ ܗ ܡ ܟ ܝ ܐ ܚ ܠ ܐ ܠ ܗ ܐ ܚ ܬ ܠ ܒ ܠ ܐ ܬ

ܝ ܗ ܐ ܡ ܩ. ܐ ܪ ܒ ܟ ܐ ܝ ܐ ܟ ܒ ܠ ܕ ܩ ܡ ܝ ܗ. ܝ ܗ ܐ ܩ ܡ ܕ ܡ, ܐ ܕ ܒ ܐ ܐ ܘ ܩ ܐ ܘ ܗ

ܐ ܟ ܐ ܒ ܓ ܠ ܐ ܟ ܐ. ܐ ܬ ܝ ܚ ܒ ܝ ܕ ܗ, ܐ ܘ ܝ ܐ ܟ ܐ ܠ ܒ ܐ ܚ ܬ ܝ ܗ ܡ ܐ ܘ ܝ ܐ ܪ ܒ ܟ

ܝ ܟ ܝ ܬ ܒ . : . ܐ ܬ ܝ ܚ ܒ ܝ ܗ ܠ ܕ, ܐ ܘ ܝ ܐ ܟ ܝ ܟ ܝ ܬ ܐ ܚ ܒ ܝ ܕ ܩ CIV (CII).

30 ܝ ܗ ܠ ܕ ܟ ܠ ܐ ܝ ܟ ܝ ܬ ܐ ܬ ܠ ܚ * ܐ ܬ ܝ ܚ ܒ ܝ ܟ ܝ ܪ ܐ ܬ ܒ ܪ ܝ ܚ ʻcol. b.

¹ Ita Ms. pro ܩܟ ܠ ܟ ܐ.

CV. ܐܝܬ ܐܪܟܘܘܪܐܟܐ ܘܡܥܕܫ ܘܐܘܐ. ܗܘ ܘܒܫ ܐܘܬܝ ܗܝܐ
CVI. ܐܝܬ ܐ݁ܘܝ̇ܐ ܟܫ ܗܠܩܝ ܒܚܝ ܐܬܟܬ̈ܒܐ ܐܬܟܒܕ̈ܐ 10
6 v. col. a. ܐܬܝܗܝ̇ܐ ܒܚܝ ܐܬܟܒ̈ܐ ܘܐܟܒܪ̈ܐܘܒ ܐ݁ܘܝ̇ܪ ܐ݁ܘܝ̇ܪ ܐܝܪ
¹ Erat hic fortasse origine ܐܩܘܗ ܝܗܕܒܚ (Hall.). — ² Sic Ms.

[a]ܕܠܟܠܗܘܢ ܠܗܘܬܐ ܕܦܐܪ̈ܐ.

---

[a] Siglum N. = Nöldeke, *Die v. Guidi herausg. syr. Chronik*, Wien, 1893;
— R. H. = Codex monast. Rabban Hormidz; — Ms. = Apographon romanum.

[1] Fortasse ܠܒܣ leg. (N.). — [2] Ms. ܦܠܐܡ; N. emendat ܠܝܡܘܐ. — [3] Ms.
ܐܠܡܐܣ. — [4] Ms. ܐܣܝ ܚܡܣ (?). — [5] Sic Ms. satis inconcinne, cf. N. — [6] Ms. ܘܚܕܝܘ.
R. H. ut rec.

—————————————

---

¹ Ms. ܝܘܡܚܝܝ. — ² Ms. ܐܟܚܝܠ. — ³ Ms. ܘܚܟܒܚܘ. — ⁴ Sic Ms.; émend.
N. ܩܘܟܚܗܗ. — ⁵ Deest in Ms.

p. 672 •ܗܠܠܚ. ܐܟܝܪܝ̈ܘܟ. ܐܝܪ ܐܠ ܟ̈ܡ• ܟܝܬܘܣܡܐ ܐܒܩ̈ܐܝܟ ܕܗܠܠܚ. 5
---

1 Verbum hoc recenter plumbo additum; eius loco spatium vacuum relictum
est in Ms. — 2 Ms. ܚܣ̈ܠ. — 3 Ms. ܟܝܚ̈ܝܪ, in marg. emend. ut rec. ──
4 Ita R. H.; in Ms. spatium vacuum relictum est. — 5 Nonnulla verba hic excidisse
videntur; cf. 19, 8. — 6 Ms. ܠ̈ܚܠ̈ܟܩ.

•p. 673. ܥܠܟܪܪܐ ܐܪܟܒܬܝܚܪܒܐ ܡܗܐܬܘܟܘ *ܒܝ ܕܠܠܟܐ ܚܒܕ ܐܝܡܐ
---

¹ (N.); Ms. ܠܠܟܪ. — ² Ms. ܣܘܒܪܝ. — ³ Puncta pluralis desunt in Ms. —
⁴ Ms. ܪܒܝܪ'. — ⁵ Ms. ܘܒܟ.

* p. 674.

1 Ms. ܠܐܚܕܙ; emendavit Hoffmann. — 2 Ms. ܚܚܕܐ.

ܘܕܠܟ ܚܘܫܝܟܐ. ܫܕ̈ ܘܕܠܚܠܟ ܡ̇ܘܬܐܟܐ ܠܠܢܟ̈ܘܝ   *p. 675.

[Syriac text, 28 lines, right-to-left]

5 ...

10 ...

15 ...

20 ...

25 ...

p. 676.

---

1 Ita Ms. — 2 Ms. ܡ. — 3 Expectaveris ܠܗܐ ... ܗܝܡܢܐ ... ܡܚܒܐ ... — 4 In Ms. ܙ in litura add.; R. H. ut rec.; forte ܐܚܕܙ, cf. Z.D.M.G., LXIII, 410; N. ܐܗܘܐ(?). — 5 Ms. ܐܟܕܙܙ.

—————
[1] Ms. ܠܚܣܡ; R. H. ut rec. — [2] Ms. ܝܖ̄; R. H. ut rec.

ܐܠܐ ܕܟܐ ܚܘܝܟܐ ܚܠ ܟܝܬ ܕܡܠܟ ܠܟܠ ܘܡܢ ܗܐܡܝ
ܚܕܢܟܐ[1]: ܘܕܘܢܝ ܚܒܘܝ ܚܢ ܒܝܒܬܟܐ. ܗܢܐ ܗܟܢܠ
ܠܠܘܟܐ ܥܒܡ ܚܠ ܕܗܟܐ ܗܘܒܟ. ܘܡܠܡ ܗܘܒܐ ܚܢܝܒܟܐ
ܚܘܕܬܗܬܐ ܕܗܢܝ ܐܟܢܝܘܬܝ. ܠܠܢܬܝܟܐ *ܢܒܒ ܡܢ ܗܢܝ. $^{*\text{p. 677.}}$

5 ܘܐܙܙܝ ܒܝܟ ܚܘܝܟܐ ܐܟܢ ܡܢ ܚܒܟܚܘܝܟܐ ܕܗܠܢ
ܕܚܘܝܟܐ. ܘܒܚܘܝܒܝ ܠܠܢܝܐ ܗܢܝ ܐܠܠܬܝܘ ܒܥܝܠ ܟܘܬ
ܗܠܕ ܒܝ ܒܝܬܟܐ ܕܚܠܚܕܟܐ. ܗܘܒܐ، ܡܘܒܝܟ، ܚܕܐ ܠܠ
ܚܬܬܟܐ[2] ܡܚܬܟܐ ܐܟܢܚܢܝܟܐ ܟܢܚܦܝ. ܘܗܘܚܬܘܗܝ، ܕܝܢ
ܚܕܢܝ ܗܘܘ ܠܚܠܠܐܟܐ. ܚܝ، ܘܗܕ ܥܒܚܕ ܥܕܝܢ ܕܚܠܠܚܝܬ

10 ܐܪܐܟ ܠܢܝܗܝ. ܚܝ، ܘܗܕ ܗܝܗܝ، ܚܚܠܢ ܗܐ ܡܘܡܚܕܟܐܠܟ
ܘܚܚܢܝܟܐ ܕܚܗܟܐ. ܚܕ ܦܟܡ ܗܝ ܥܕܝܢ ܚܠ ܛܝܚܠܐܗܝ.
ܚܢܘܗܝ، ܗܝ ܡܚܢܚܟܐ. ܚܝ، ܘܚܚܗܗ ܘܚܝܟܐ ܐܝܬܟ، ܠܠ
ܒܝܗܝ ܥܠܒܚܝܟܐ ܕܘܗܡܚܟܐ. ܘܚܚܠܚܚܝ ܚܗ ܡܢ ܐܝܬܠܐ
ܕܚܢܚܩܚܘܗܝ ܘܢܚܒܬܠܐܕܟܐ ܡܚܠܬܟܐ، ܕܚܗܟܐ. ܘܚܚܚܝܚܘܗܝ

15 ܗܡܕܟܐ ܕܚܗܟܐ ܒܝ ܡܚܗܝ ܚܚܢܝܟܐ ܕܚܢܝܟܐ ܘܚܗܡܚܦܗ ܕܩܦܚܝ.
ܚܝܡ ܚܠܠܬܠܚܐ ܠܐܝܬܢܝܘܬܐ ܚܝܢ ܕܠܠܚܝܚܚܠܐܟܐ ܘܚܚܕܚܝܢ.
ܗܡܠܟܐ ܕܝܢ ܕܢܢܘܡ ܡܚܚܗܟܐ. ܥܢܢܚܟܐ ܗܡܚܟܬܟܐ ܘܗܢܚܝܟܐ
ܦܘܬܚܟܐ ܟܐܚܒܝ. ܚܢܚܠ ܗܠܡ ܠܗܬܡ ܕܚܟܬܠܟ ܚܚܕܬܝܟܐ
ܕܚܢܚܠܠܐ.ܟܘܠܟ ܠܠ ܢܕ ܘܥܠܘ ܚܥܠܟܐ ܠܥܒܚܕܟܠܘ

20 ܐܟܠܚܘܗܝ. ܗܠܡ ܕܝܢ ܕܚܕܚܠ ܕܚܢܝ ܚܚܘ ܕܟܟ. ܠܠ
ܥܕܚܡܝ ܐܟܢ ܘܠܚܘܚܡܚܘܗܝ ܒܢܚܒ. ܚܚܕܟܐ ܕܚܢܚܢܡ
ܗܩܘܡ ܠܚܠܚܝܟܐ ܕܚܢܝ. ܚܚܘ ܢܝܒܬܟܐ. ܚܕ ܚܢܗ ܠܠ ܥܒܚܟܐ
ܚܚܕ ܘܚܗܚܟܐ. ܗܠܡ ܐܚܗܚܢܝ ܚܚܚܚܩܢܝ ܚܚܢܝܟܐ. ܕܚܠܠ ܕܢܚܝ
ܕܝܢ ܥܒܚܟܐ ܠܠܢܝ ܗܗܚܚܚܝ ܕܘܚܚܚܘܗܝ. ܘܘܗܡܚܝ

25 ܡܚܢܚܟܐ ܗܚܝܢ ܒܝ ܐܝܟܐ ܐܟܢܝܢ ܘܠܠ ܐܘܢܠ. ܚܠ ܘܚܘܚܬܗܚܝ
ܕܚܒܚܘܬܐ ܟܚܚܘܬܝ ܕܗܡܚܝ ܗܘܗܘ. ܡܡܝ ܕܝܢ ܕܚܝ، ܚܚܘ ܕܟܟ.
ܡܚܢܚܟܐ ܡܚܟܬܟܐ ܘܩܦܚܩܦܟܐܟܐ ܡܚܚܬܐ. ܡܡܝ ܕܝܢ ܐܟܢ
ܡܚܚܚܟܐ ܕܚܝ، ܚܚܘ ܢܝܒܬܟܐ. ܚܠܚܬܟܐ ܕܚܠ ܕܚܬܬܟܐ ܕܚܚܝܬܟܐ
ܕܐܝܢܬܚܒܟܐ. ܘܚܚܠܝ ܕܚܠܚܗܚܝ ܠܥܒܚܕܚܚܚܝ ܠ. ܚܚܝ

30 ܕܚܚܚܬܟܐ ܕܚܚܚܗܬܟܐ ܘܚܚܕܚܝ ܕܚܚܬܟܐ ܠܠ ܚܒܚܚܩܚܝ ܟܐܚܚܘܒܬܝ ∴

ܘܒܝܢ ܚܠ ܚܡܠܗ ܘܝܡܘܝ ܒܣܠܘܐ ܘܚܠ ܠܐܝܠܝܐ ܕܪܘܡܣܐ.
ܘܚܕܗ ܕܐܝܢ ܕܕܘ ܫܠܟ ܡܥܕܝ ܠܚܢܝܢܟ. ܘܚܕܚܐ
ܠܚܕܝܟ ܘܠܐܝܚܕ. ܘܠܚܢܝܩܢܝܠ ܘܠܐܚܘܢܘ, ܘܚܓܕܗ
ܠܝܚܬܐ ܚܩܢܐܘ. ܘܚܕܚܐ¹ ܠܥܡܚܠ ܚܚܘܡ. ܘܕ ܗܡ ܕܡ
ܕܕܘ ܢܬܠܟ ܕܚܝܚܘܡ ܥܝܚܒܝܚܘܙܝ².ܘܐܢܝܐ ܢܟܐܘܦܝ ܚܠ   5
ܟܐܝܚܘܐܡܝ. ܘܐܟܐ ܕܢܘܦܚܘ ܠܐ ܗܘܚܟ ܘܠܐ ܟܠܐ
ܐܟܠܦܚܘܡܥ. ܘܡܘܕܝ ܚܠܝܥܝ ܡܘܕܟ. ܘܚܒܟ ܚܠܝܚܐ
ܡܠܡܘܕܚܟ. ܘܕܚܘ ܠܟܘܐܠ ܚܠܝ ܚܠܝܚܐ. ܘܟܘܐܟ
ܠܟܐܩܘܡܘܥ ܘܠܐܟܐܝܐ ܕܚܘܒܝܝܟ. ܘܟܐܝܚܕܝܕ *ܚܡܘ ܐ*p. 678.
ܕܚܠܠ ܡܡܟܐ ܘܘܡܩܟܐ. ܘܕܟܐܘܬܟ ܕܚܝ ܠܚܟ. ܘܕܚܠܠ   10
ܕܢܝܠܟ ܐܠܠܝܟ ܐܕܓܝ ܐܢܐ ܠܐܚܘܡܚܟ ܡܕܡ ܦܐܚܚܟ;
ܚܠ ܕܐܚܐܕܕ ܕܕܟ ܘܚܕܟ ܕܚܠܚܟ ܚܘܩܟܝܚܐ ܘܕܚܒܘܗܘܡ,
ܠܐ ܥܒܕ ܐܠܐ ܐܕ ܕܚܝܝܡܘ ܟܚܕܘܡ ܐܠܐ ܚܘܚ ܘܡܘܚ
ܠܘܗܡ. ܘܘܚܘܚ ܠܗܡ ܡܘܥ ܠܘܗܡ ܕܘܡܥܟܐ. ܚܕ ܡܥܡ
ܘܕܟܐܠܥ ܚܠܢܠܐ ܕܝܢܘܡܟ. ܘܚܓܕܗ ܡܚܘܐܚܟ ܣܘܟܐܬܐܟ.   15
ܘܠܘ ܚܡ ܕܟܘܬܟ ܣܟܐܝܬܐ ܘܪܚܘܢܐ ܚܘܚܘܡܐ ܕܐܚܘܡ
ܠܚܘܡܘܥ. ܘܚܕ ܚܘܠܗ ܠܗܠ ܘܕܝܡ. ܚܓܕ ܚܚܘܟܐ ܘܕܟܐ.
ܘܚܕ ܩܘܡܚ ܕܕܟ ܕܚܠܚܟ. ܥܒܠ ܕܚܘܬ ܚܘܡܘ. ܘܠܘ
ܥܕܝܢ ܠܗܠ ܕܚܠܚܟ. ܡܘܚܡ ܕܡ ܕܚܠܚܟ. ܐܚܡ ܕܠܐܡܘܟܐ
ܚܡ ܕܟܐܢܘ ܘܡܥܘܥܟܝ. ܚܚܘܠܐ ܚܠܥ ܚܕܚܐܟ ܕܚܒܟ   20
ܚܡܩܡܟܘܥ ∴.
ܘܒܝܢ ܣܠܘܐ ܕܩܬܡܚܟ. ܢܘܥܚ ܚܠ ܐܠܚܘܡܕܝܟܐ: ܕܘ,
ܕܠܚܘܢܝܠ ܚܘܕܕܐܟ·· ܘܕܟܐ ܕܣܠܘܐ ܚܢܘܚܡ ܠܗ. ܘܗܝܕܚܟ
ܣܘܟܐ ܐܝܒܠ ܠܗܙ. ܕܘ, ܕܐܠܚܘܡܘܕܝ ܚܢܗ. ܚܚܠܚܗܘܐ,
ܕܐܟܝܢܘܡܘܠܐܢܘܡ ܘܒܠܠܝܟܝܘ ܕܚܡ. ܘܘܚܚܟܐ ܚܠܝܢ ܟܢܟ ܘܠܐ   25
ܟܐܐܚܕܝܘ ܠܚܒܠܚܚܗ. ܘܒܝܢ ܒܦܡ ܠܘܗܠ ܚܝܚܐ
ܕܐܚܚܘܡ ܦܠܝܢ ܣܘܐܝܢ ܕܢܘܠܐ ܕܡ ܚܒܗ ܡܠܬܟܐ ܕܡ ܠܠܚܘܠܟ ܘܚܠܬܘܗ
ܐܕܟܐ ܠܐܠܚܘܡܘܝܟ. ܐܥܝ ܕܘܚܢܘ ܚܚܘܒܠܥܝܟ ܕܐܚܘܝܘܘܕܐܟ
ܠܘܕ ܢܬܠܟ ܕܩܬܡܚܟ. ܐܟܝܟ ܕܚܠܡܝ ܐܟܝܟ ܠܝ
ܘܚܕܝܘܬܐܟ. ܡܝܟ ܕܡ ܦܠܝܢܘܡ ܠܟܐܚܚܕ ܚܝܢܕ ܕܡ ܡܘܕܚܡ   30

¹ Ms. ܘ—. — ² Ms. ܚܘܪܘܙܝ.

ܒܚܕܒܐ ܐܠܗܟ̈ܐ ܕܐܠܗܘܬܐ. ܒܐܘܣܦ ܚܘܐܟܐ ܕܚܕܒܕ
ܘܐܢܐ. ܕܗܕܐ ܗܩܡ ܐܘܡܩܘ ܘܠ ܐܠܐܚܘܐܘܐܪܝ. ܒܝ
ܗܐܚܐ ܒܝܚܝ̈ܚܐ ܒܪܟ ܕܠܘܡܚܒܕ ܒܪܟ ܚܚܝܚ̈ܐ
ܐܪܝܚܐܐ ܘܕܒܚܘ ܦ̈ܬܐ ܐܠܟܠܐ ܘ̈ܐܚܘܐܚܕ ܐܚܘܝ̈ܐ ܕܘܪܝܚ̈ܐ
5 ܘܐܚܘܗ ܚܗܡ. ܘܕܚܡ ܪܩ̈ܐܟ ܚܕ ܚܘܗܘܗ . ܚܡ ܗܬ̈ܚܐ
ܕܪܝܚ̈ܐ ܐܦ̈ܘܗܘܐܚ ܚܡ ܪܬܐܟ ܘܚܠܘ ܠܚܕܒܚܐܐ.
ܘܡܛܠܠܗ ܠܠܦ̈ܬܐ ܘܗܬ̈ܚܟ ܠܚܒ̈ܬ̈ܚܐ ܘܐܚܒ̈ܟ
ܘܐܚܗܗ ܘܚܚܗܝ ܚܠ ܚܘܚܚܐ. ܐܚܒܚ ܒܚܘܚ̈ܝ ܐܚ̈ܐ
ܚܠܘܗ . ܐܟ̈ܐ ܘܒܟ ܐܠܐܟܠܐ ܡ̈ܐܬ̈ܐ ܘܗܡܚܝ ܗܐܦܐ ܚܗܡ
10 ܠܐܟ ܕܚܕܘܐ ܘܕܚ̈ܪ̈ܚܐ ܕܪܚܘܣܗܝ ܚܘܒܟ. ܚܘܟ. ܚܚܠܝ
ܟܝܢ ܪܘܢܐ ܘܐܚܟ ܚܚܪܚ̈ܐ ܠܚܒ̈ܚܐ ܕܦ̈ܬܐ. ܘܒܚܗ ܟܝܢ
ܠܚܚܗܝܗ ܚܡ ܚܠܬ̈ܟܐ ܕܚܕܒܚ̈ܐ. ܗܟ ܕܡ ܘܪܢܠܕ
ܟܐܝ̈ܐܟܐ ܚܠܝ *ܚܠܬ̈ܚܐ ܠܘܠ ܘܕܡ. ܚܡ ܚܠܐ̈ܟ ܚܒܕ   p. 679.
ܚܠܬ̈ܚܐ ܕܗܒܚܟ ܣܠܘܩܚ̈ܗܝ ܘܚܘܕܗ ܠܚ̈ܐܠܚܐ. ܕܘܠܘ
15 ܝܠܢܚܘܚܗܝ ܠܚܠܚ̈ܟܐ ܠܘܣܚܗܐ .:. ܚܕ ܘܡ ܐܟ̈ܐܚܚܚܚܝ
ܐܚܝܢܐܠܒܪ. ܚܚܪܚ̈ܐ ܘܚ̈ܐܘܐ ܚܚܟ̈ܝ ܚܪܚܒܟ ܚܚܠܘ ܚ
ܘܬܚܠ̈ܟܐ ܗܚܘ. ܚܡ ܘܡ ܚ ܕ̈ܟܐ ܚܗܐܚܐ ܐܚܗܐ ܐܦ
ܘܚܠ̈ܟܐ[1] ܘܒܚܗ ܚܗܗܟ̈ܐ: ܗܘ ܕܗܒܝ ܚܗܗ ܚܗܣܘܒܘܠܗܝܗ
ܘܚܠ̈ܟܐ ܐܚܗܐܚܕ: ܘܐܟܝ܆ ܝܚܝܚ ܚܒ̈ܬܐ ܘܒܚ̈ܗ̈ܬܐ ܕܘܒܠ
20 ܠܗܡ̈ ܘܕܚܬ̈ܐ. ܘܐܟܘ ܠܘܠ ܘܗ ܣܠ̈ܟ ܕܦ̈ܬܚܐ: ܚܗܚܗ
ܚܢܘ ܪܠ̈ܬܕܟܝ ܐܚܒܚܗܘܐ ܠܗܡ. ܘܚܠܘܗ ܕܗܒܟ̈ܐ ܚܗܟ̈ܐ
ܘܚ̈ܟܐ ܕܐܚܗܗܐܠܒܪ. ܗܟ ܚܗܚܚܝ ܗܣܘ ܚܚܘܡ ܕܘܚܗܚܕ.
ܚܗܚ ܘܡ ܚܠ ܚ ܗ ܘܘܣܚܠܗ ܘܗܚܠ ܚܚ̈ܟܐ ܕܚܪܒܠܚܝ
ܚܗܗ . ܘܚܕ ܚܗܗ ܠܗܡ ܚܗ ܐܟ̈ܪܐ: ܘܗܩܘܚ ܚܚܝ ܗܠܠ
25 ܐܚܕܝܗ ܗܘܪܗܗܘܝ. ܟ̈ܚܚܚܝ ܠܚܘܪܟܐ ܠܕ ܚܕ ܚܗܚܕ
ܚܠܘܗܝ. ܘܗ̈ܐ ܘܡܚܝ ܠܚܘܪܟܐ ܗܗܗܝܐ ܐܚܘܚܐ ܚܒܘܠܘ ܗܒܗܠܬ̈ܐ:
ܗܘ ܕܗܒܚܗ ܚܚܗܟ ܠܦ̈ܠܚܝ ܘܒܚܗܕ. ܚܕ ܘܡ ܚܚܒܕ ܘܗ
ܣܠ̈ܟ ܚܠ ܪܝܚ̈ܐ ܘܗ̈ܬܚܐ: ܦ̈ܠܘܗ ܐܟ ܗܪܘ ܚ̈ܚܐ ܘܘܟܚܚܕ.
ܗܗ ܘܗܕ ܚܚܕܚܗ ܘܘܡ ܐܚ̈ܗܚܚܗ ܠܚܠܚ̈ܟܐ. ܘܩܚܗ ܚܠ
30 ܕܚ̈ܗܟܐ. ܘܚܚܚܝ ܠܐܚܠܗ ܐܚܗ ܘܘܗܗܦܗ܆ ܦ̈ܪܚ.

---

¹ Sic Ms. — ² Spatium vacuum relict. in Ms.; fortasse ܟܗ suppl. — ³ Ms. ܡܐܢܝ. — ⁴ Ms. ܟ̣ܕܗ.

ܣܝܘ ܘܐܟܪܗܝܬܐ ܕܢܝܬ̇ܐ ܚܘܣܐ. ܘܐܟܪܗܘܢ ܠܗܒ ܣܥܪܝܢ. ܐܠ
ܐܠܒܠ ܐܠܐܠܟ. ܘܐܟܪܗ ܠܗܿ. ܐܪܟ ܐܝܟ ܘܐܠ ܐܠܐܟ: ܘܗܟܡܐ
ܒܡ ܣܟܐ ܒܗ ܪܗܘܐܗܕ ܐܢܟ. ܘܗܕܐ ܕܝ ܐܝܪܟܐ. ܚܠ
ܕܐܟܒܕ ܘܗܘܣܘܡܠܟܐ ܕܐܠܐ ܕܗܐܘܡܘ ܣܥܒܠ ܟܗܘܐܟ.

5 ܘܒܚܟܐ ܕܐ ܗܘ ܣܝܟ ܠܘ ܘܗܘܐ: ܐܠ ܚܕܕܐ ܣܚܡ ܟܗܕܪܐ
ܐܝܟ ܘܠܐ ܢܣܥܟܐ ܚܠܟ ܣܥܠܝܠܒ. ܘܐܚܕܬܐ ܗܝ ܕ
ܕܘܠܠܟ ܕܗܐܘܗܬܐ ܒܡ ܗܠ ܣܥܒܟܐ. ܕܐܒܐܗܬܐ ܕܣܟܘܬܐܟܒ
ܘܗܝܘܗܣܟܐ ܐܝܟ ܐܟܪܡܐܟ ܘܗܐܘܟܬ ܐܝܟ ܗܘܗܕ ܣܥܒܟܐ. ܘܗܡܐ
ܗܠܝܢ ܠܗܘܣܟܐܟ. ܣܥܒܕ ܚܠ ܝܢܝܟ ܗܐܠܟ ܕܘܗܠܠܗܘܐܟ.

10 ܣܒܚܟܐ ܒܝܢܒ ܟܘܣܝܕܐ ܐܟܠܝܬ̈ܐ ܐܐܟܗܘܬܐ. ܘܗܿܘ ܚ̄ܝ
ܠܗܘܬܐ܀

ܗܝܘܒ ܘܕܗܗ ܚܠ ܚܘܣܘܗ. ܗܘ ܠܟܐܟ ܕܐܘ̈ܗܠܘܐܟ. ܘܣܡ
ܣܥܟܠܟ ܚ̄ܝܕ ܘܘܗܡ ܕܗܘܡ ܘܣܗܪܘܣܒ ܘܐܗܘܪܟܕܣ ܘܗܠܒܟ ܕܗܠܟܐ
ܠܣܝܕ܆ ܕܝ ܚܘܣܘܗ. ܘܗܥܝܘܣ ܠܗܘܠ ܣܥܘܝ ܘܕܗܠܟܝ̈ܗܬ ܐܐܟܗܘܬܐ.

15 ܚܕ ܕܝ ܘܒܚܕ ܚܘܣܘܗ. ܐܣܘܗܗ. ܝ̈ܘܗܕܘܣ ܘܕܗܠܒܝܟ ܚܠܒܘܬܐ.
ܣܟܠܟ ܕܗܘܣܘܟ. ܣܥܚܣܗ ܠܗܠܗܠܗܘ ܚܠܠܟ ܘܚܘܪ.
ܗܘ ܗܘܗܝܬܝ ܠܠܟܐ ܕܗܘ̈ܟ ܚܘ̈ܗܕ. ܕܗܟܠܗܘܠܟ ܠܗܘܐ ܕܝ
ܕܗܘ ܚܘܬܗ. ܘܒܘܝܣܗ ܘܒܥܝܣܐ ܚܒܟܐ ܘܗܠܚܟܟ. ܘܗܕ
ܣܒܟ ܠܢܟܘܠܟ ܕܗܘܠܟܐ ܘܐ̈ܗܕܕܒܝܕܐ ܗܘ ܘܣܠܒ ܗܝ ܠܠܟܐ ܠܗܣܒܕ

20 ܣܕ̈ܗܟ ܚܡܒ ܗܘܘ. ܘܒܥܘ ܐܟܗܘܕܐ ܚܠ ܣܥܒܟܐ ܕܗܒܚܕ
ܠܗܘܐ ܚܠܒܟܐ ܣܥܘܝܣܒ. ܘܒܡ ܕܗܣܠܒ ܠܟܟ ܐܟܐܕܚܝܪ
ܘܒܝܕܬܐ ܘ̈ܐܟܗܘܣܗܘ ܘܒܝܟܐ ܣܒܘܣܟܐ ܚܒܐܝܟ ܘܒܠܗ̈ܐܟܐ
ܕܐܒܕܗ ܘܗܘܪܘܣܗܒܕ. ܘܠܘܣܒܟܐ ܕܗ̈ܒܕܐ ܒܠܒ ܣܣܒܝ ܗܘܘ
ܠܗ. ܘܗܕܗ ܠܗܕܗ ܣܥܒܟܐ ܘܣܘܪܗܘܣܒܕ ܘܒܡ ܣܥܘ̈ܗ

25 ܘܠܚܠܟܐ ܒܙ ܚܘܣܘܗ ܘܠܚܘܣܘܗ. ܘܗܕ ܐܟܗܘ ⟨* *p. 68ᵢ.⟩
ܠܗܘܒ ܚܠܗ ¹ܠܒܠ ܚܠܘܡܠܝ. ܘܗܟܐ ܕܗܒܚܟܐ. ܟܗܘܐ ܣܒܒܟ
ܣܥܟܠܟ ܡܣܒܐ ܕܗܒܚܣܣܗ. ܘܒܚܟ ܚܘܣܗ̈ ܠܗܣܒܠܟ
ܘܐܟܪܗ ܠܗ. ܕܢܟ ܣܠܒܗ ܠܝܢ ܕܗܐܣܠܠܝ. ܘܠܐ ܘܒܚܣܗ.
ܣܥܟܠܟ. ܘܒܚܣܗ ܣܗܚܣܗ ܒܢ̈ܠܟ ܒܐ̈ܘܪ̈ܣܒܕ ܚܠ ܚܠ ܚܠܚܘܒ.

30 ܘܟܗ̈ܐ ܚܠ ܐܝܘܟ ܐܗܘܪܣܕ ܐܘܪ̈ܟܐ ܚܠܘܡܠܝ. ܣܥ̈ܗ̈ܗܘ ܚܢ̄ܝ.

¹ Ms. ⟨⟩.

*p. 68₂. ܘܟܚ̈ܟ. ܘܝܘܚܚ. ܚܠ ܘܟܚ̈ܟ ܚܟ ܚܝܗܟܚܝ ܪܝܚ ܠܚܕ̈ܝܟ̈ܚ   30

¹ Ms. ܚܚܟ. — ² Ms. ܘܠܝ، — ³ Fort. ܩܘܝܣ leg. (N.).

¹ Ms. ܚܚܣܘܩܝ. — ² Ms. ܚܠܚܣܘܠ. — ³ Ms. ܚܣܘܠ.

*p. 683.   ܘܐ̈ܝܢܚ̈ܝܟ ܕܝܢ ܟܠܝܟ : ܗܕܝܒܟ̈ܗܐ * ܕܗܘܐܒܠܘ[3] ܐܝܟ ܝܘ
¹ Ms. ܐ̇ܝܠܐ; R. H. ut rec. — ² Ms. ܘ̇ܡܘ̈ܙܝ; R. H. ut rec. — ³ Ms. ܠܒ̇ܠ. —
⁴ Legit Hoffm., probante N., ܘ̈ܟܘ̈. — ⁵ Legit N. ܘ̈ܒ̈ܝ̈ܚܐ. — ⁶ Ita Ms. ? ܗ̈ܒ̈ (N.),
sed ? ܘ̈ܒ, nonnunquam quasi pleonastice usurpatur, cf. p. 24, 9, 10, 12. — ⁷ Ms.
modo ܘ̇ܒ̇ܝ̇ܟ̇ modo ܘ̈ܒ̇ܝ̈ܟ̈ scribit. — ⁸ Hoffm. de ܘ̈ܒ̈ܝ̈ܘ̈ = ܘ̈ܟ̈ܒ̈ (τὸ χλωμά-
ραν, χλομ.) coniecturam facit.

ܕܟܠܬܟ *ܚܝ̈ܐ ܡܣܚ̈ܘܡܐ܆ ܘܚܕܘ ܗܕܐ ܐܘܣܠܒܐ   p. 684.
[1] Ms. ܚܡ; R. H. ut rec.

---

[1] Prius, ut videtur, script. ܝܝܘ, postea emend. ܝܝ̈ܩ: Hoffm., ܝܘܝܝ. —
[2] Ms. ܢܝܕܢܠ).

---

¹ Fort., ܟܘܣܒܐ (نز) leg. (N.). — ² Nonnulla verba hic supplenda esse suspicatur N., e. g. ܘܗܘ ܟܠܒܡܬ ܠܚ. — ³ Ms. ܐܠܝ.

*p. 686. ܘܩܒܠ ܕܚܠܬܢܐ ܗܘ ܠܚܕܬܐ ܦܠܢܐ * ܠܐܘܝܟܐ ܕܚܕܒܡ

---

1 Ms. ܠܠܝ. — 2 Ms. ܣܚܚܡ. — 3 Ms. add. ܘܝ ܗܡܐ (bis). — 4 Emend. N.; Ms. ܘܪܐܩܚܚܐܠ. — 5 N. mallet ܚܕ. — 6 Ms. ܘܐܣܡܡ.

ܚܫܝܢ ܐܬܝܗܒ ܠܗ̈ܠܠܬܐ ܣܒܝܢ ܡܢ ܟܕ ܚܫܒ ܠ ܥܒ̈ܕܐ   *p. 68₇.
---

[1] Ita Ms. pro "ܝܝܠ. — [2] Fort. leg. ܣܚܚܚ (N.). — [3] Ms. ܣܠܝܝܚ.

*p. 688. ܠܚܕܟܘܣ ܐܬܘܐܬܪܕ ܐܟܠܐܟܦܘܣܐܟܘ . ܟܘܐܬܡܘܣܒ ܕܐܪ   ـ
ܘܐܬܡܘܕܗܡ , ܚܕ ܚܘ ܂܂܊   ـ
---

[1] Ms. ܚܘܕܕ. — [2] Litterae ܕܕ supra lin. addit. — [3] Ms. ܗܘܣܘܒ ; emend. Hoffm.

ܟܐܬܚܚܢܬ ܘܠܚ. ܟܐܚܚܘܬ ܟܐܚܚܝ ܚܚ* ܟܐܡ ܚܢ̈ܚܝ ⁰p. 689.
¹ Hoffm. emend. ܘܗ̇.

ܒܚܕܐ ܐܝܟܬܬܬܐܗ ܡܢ ܥܘܡܪܐ ܕܥܠܬܐ ܕܡܬܗܪܐ
ܗܘܐ ܠܥܠܡܐ . ܘܐܝܬܘܗܝ܂ ܗܘܐ ܕܒܪܐ ܡܢ ܒܪܝܫܘ
ܒܥܠܡܐ ܐܝܟܐܝܬ ܀܂

ܫܠܡ ܟܠܗ ܡܠܠܒ ܕܡܒܪܕܬܐ
ܡܢ ܩܘܪܝܠܘܣ ܀܂

Imprimerie Orientaliste, s.p.r.l., Louvain (Belgique)